10/12/19

D1241288

POKA Y MINA

UN REGALO PARA LA ABUELA

Para mi amiga Sofía Corte Real
K. C.

COORDINACIÓN DE LA COLECCIÓN: Mariana Mendía
CUIDADO DE LA EDICIÓN: Carla Hinojosa Guerrero
COORDINACIÓN DE DISEÑO: Javier Morales Soto
FORMACIÓN: Gabriela Sánchez Valle
TRADUCCIÓN: Mariana Mendía

Poka y Mina. Un regalo para la abuela

Título original en francés: *Poka et Mine. Un cadeau pour Grand-Mère*

Texto e ilustraciones de Kitty Crowther
D. R. © 2016, *l'école des loisirs*, París
Publicado por acuerdo con Isabelle Torrubia Agencia Literaria.

PRIMERA EDICIÓN: septiembre de 2018
D. R. © 2018, Ediciones Castillo, S. A. de C. V.
Castillo ® es una marca registrada.

Insurgentes Sur 1886, Florida,
Álvaro Obregón, C. P. 01030,
Ciudad de México, México.

Ediciones Castillo forma parte del Grupo Macmillan.

www.edicionescastillo.com
Lada sin costo: 01 800 536 1777

Miembro de la Cámara Nacional de la Industria Editorial Mexicana.
Registro núm. 3304

ISBN: 978-607-540-374-8

Impreso en México / *Printed in Mexico*

KITTY CROWTER

POKA Y MINA
UN REGALO
PARA LA ABUELA

CASTILLO DE LA LECTURA

—¡Mira lo que encontré, papá! Es para la abuela Dorotea.

—Es muy bonito, Mina. A la abuela Dorotea le encantará.

—Voy a envolverlo y a enviárselo por correo —dice Mina.

—Vamos a envolverlo mañana. Ahora debemos regresar a casa y dormir. Ya es tarde —dice Poka y se pone a silbar.

—¡La abuela estará muy contenta! —exclama Mina, entusiasmada, y también silba.

—¿Verdad que la abuela se pondrá contenta con mi regalo, papá? —pregunta Mina.

—Muy contenta. Se pondrá feliz de que hayas pensado en ella.

—Con su regalo, la abuela será la reina de las conchas. Y tú, Mina, eres una pequeña que está a punto de dormir —afirma Poka.

Mina duerme profundamente...

... cuando una vocecita la despierta.

—¿Quieres jugar conmigo?

—¿De verdad tenemos que buscar a Carlo? —pregunta uno de los cangrejos ermitaños.

—Sí —contesta otro.

—Es que todo el tiempo quiere jugar a las cartas —añade Cayetano.

—Yo odio jugar a las cartas —dice Calixto.

—A mí tampoco me gusta jugar a las cartas. Prefiero jugar al surf —interviene Cándido.

—El surf no es un juego, es un deporte —explica Casimiro.

—¡Suficiente! Vamos a buscar a Carlo y punto final —los regaña Carmelo.

—¡Gané! —exclama Carlo.

De pronto, la puerta se abre y seis cangrejos ermitaños entran en la habitación de Mina y la asustan.

—Venimos a buscar a Carlo —dice Carmelo.

—No sabía que alguien vivía dentro de la concha —se disculpa Mina.

—Esa es la verdad verdadera. Mina es mi amiga, dejen de asustarla —les ordena Carlo.

Poka escucha ruido en la habitación
de Mina.

—¿Todo está bien?

Mina ríe.

—Sí, papá, es que el regalo de la abuela
Dorotea... bueno, ya no es su regalo.

Poka se une al grupo y sirve té de algas a los inesperados visitantes. Todos se presentan: Cayetano, Carmelo, Calixto, Cándido, Casimiro, Carlo, Camilo, Poka y Mina.

Carlo propone jugar a las cartas pero nadie quiere.

—¿Y a tu abuela Dorotea le gusta jugar a las cartas?

Mi maravillosa hijita:

Es el regalo más bonito que he recibido en mi vida. ¿Cómo sabías que me gustaba tanto jugar a las cartas? Casi siempre me gana Carlo, pero algunas veces me deja ganar. A la hora de mi siesta él se entretiene nadando. En algunas ocasiones sus hermanos vienen y se arma un verdadero alboroto. Me hacen reír mucho.

Te quiero, nietecita mía.

Besos de Carlo
y de la abuela Dorotea

Impreso en los talleres de
Editorial Impresora Apolo, S. A. de C. V.
Centeno 150-6, Granjas Esmeralda,
Iztapalapa, C. P. 09810, Ciudad de México, México.
Septiembre de 2018.